NAPOLÉON EN ÉGYPTE

L'expédition scientifique

«De nos jours, personne n'a rien conçu de grand,
c'est à moi d'en donner l'exemple.»

Napoléon Bonaparte

Une production TROIS-CONTINENTS
L'ensemble des documents publiés dans cet ouvrage
provient des archives appartenant à EDITA S.A.
Office du Livre, Compagnie du Livre d'Art, C.L.A, Trois-Continents.

ISBN : 282-640192-6
EAN : 9782826401885

NAPOLÉON

L'expédition scientifique

TROIS-CONTINENTS

CI-CONTRE:
PORTRAIT DE
BONAPARTE,
PREMIER CONSUL,
PAR A.J. GROS.

L'EXPÉDITION EN EGYPTE

1798 : La guerre continuait avec l'Angleterre. Comme il était difficile d'opérer avec succès un débarquement sur l'île, il semblait plus judicieux de couper la route des Indes aux Anglais pour intercepter son commerce en Orient. Une expédition en Egypte fut ainsi proposée par Bonaparte au Directoire, trop content de se débarrasser d'un général devenu un peu trop encombrant. Certes l'Egypte était une province turque, mais sa situation permettait de contrer les Anglais. Le 19 mai 1798, Bonaparte s'embarqua à Toulon avec une armée de 38 000 hommes, deux généraux remarquables, Kléber et Desaix, et plus de 150 scientifiques, lettrés et artistes qui étaient chargés d'étudier les vestiges de la civilisation disparue des pharaons.

CI-DESSOUS:
CAMPAGNE
D'ÉGYPTE
ET DE SYRIE.

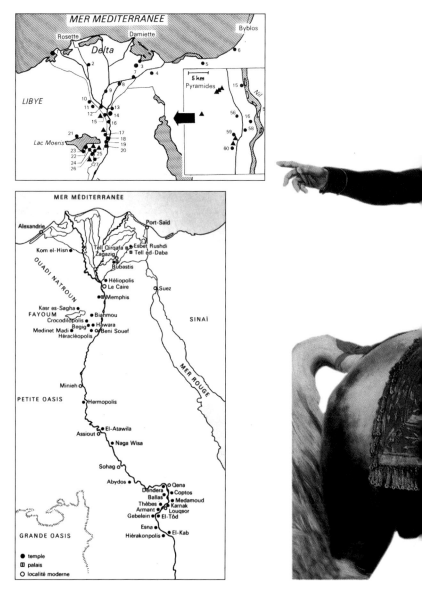

MER MÉDITERRANÉE

Byblos
Rosette • Damiette
Delta
• 6
• 2
• 3
• 5
7
• 4
LIBYE
9 8
5 km
Pyramides
• 15
10
11 • 13
12 • 14
15 • 16
21 56
Lac Moeris • 17 • 16
18 58
23 19 59
22 25 20 60
24 27
26

MER MÉDITERRANÉE

Alexandrie
Port-Saïd
Kom el-Hisn •
Tell Qirqafa • • Esbet Rushdi
Zagazig • ■ Tell ed-Daba
• Bubastis
• Héliopolis
O Le Caire
O Suez
• ■ Memphis
Kasr es-Sagha •
FAYOUM • Biahmou
Crocodilopolis • SINAÏ
Begig • • Hawara
Medinet Madi • O Beni Souef
Héracléopolis
MER ROUGE
Minieh O
PETITE OASIS • Hermopolis
Assiout O • El-Atawila
• Naga Wisa
Sohag O
Abydos • O Qena
Dendera • Coptos
Ballas • • Medamoud
Thèbes • • Karnak
Armant • • Louqsor
Gebelein • • El-Tôd
Esna •
GRANDE OASIS Hiérakonpolis • • El-Kab

● temple
Ⅲ palais
O localité moderne

NAPOLÉON EN UNIFORME DE COLONEL DES CHASSEURS À CHEVAL DE LA GARDE.

« *De nos jours,* disait Bonaparte, *personne n'a rien conçu de grand ; c'est à moi de donner l'exemple* ». Il lui fallait de nouveaux exploits pour maintenir son prestige : « *Je sais,* disait-il à son confident Bourienne, *que si je reste, je suis coulé sous peu. Tout s'use ici-bas. Je n'ai déjà plus de gloire. Cette petite Europe n'en fournit pas assez. Il faut aller en Orient. Toutes les grandes gloires viennent de là* ».

CI-DESSOUS:
BONAPARTE
DÉBARQUANT
À MALTE.

CI-DESSUS:
CARTE DE MALTE
INDIQUANT LES
FORTS ET LES
VILLES OCCUPÉS
PAR LES FRANÇAIS.
S.H.A.T.

DOUBLE PAGE
SUIVANTE:
BONAPARTE
À ALEXANDRIE.

11

En cours de route, à la mi-juin, les Français s'emparèrent de l'île de Malte, puis ils débarquèrent à Alexandrie le Ier juillet. Les Mamelouks essayèrent d'arrêter l'armée de Bonaparte, mais furent vaincus à la bataille des Pyramides le 21 juillet. Deux jours plus tard, Bonaparte entrait au Caire qui capitula. Cependant les Ier et 2 août, la flotte française, ancrée à Aboukir, fut presque totalement détruite par l'amiral anglais Nelson. Les Français étaient prisonniers en Egypte.

CI-DESSOUS:
PLAN DE
LA BATAILLE
DES PYRAMIDES
(21 JUILLET 1798)
PAR BERTAUX
(1747-1820).

CI-CONTRE:
LA BATAILLE DES
PYRAMIDES,
PAR L.F. LEJEUNE.
MUSÉE DU CHÂTEAU
DE VERSAILLES.

Prisonnier en Égypte, Bonaparte entreprit aussitôt de réorganiser le pays pour en tirer tout ce qui pouvait être nécessaire à son armée. « *Nous n'avons plus de flotte,* disait-il ; *hé bien ! Il faut mourir ici ou en sortir grands comme les Anciens… Voilà un événement qui va nous forcer à faire de plus grandes choses que nous ne comptions… C'est le moment où les caractères d'un ordre supérieur doivent se montrer. Il faut nous suffire à nous-mêmes… Nous sommes peut-être destinés à changer la face de l'Orient* ».

CI-DESSUS:
BONAPARTE
À LA BATAILLE
D'ABOUKIR, DÉTAIL.

Bonaparte continuait à soumettre le pays, lorsque le
Sultan déclara la guerre à la France et concentra ses troupes
en Syrie. Aussitôt Bonaparte entreprit la conquête du pays,
s'empara de Gaza, Jaffa, battit les Turcs au mont Thabor en
avril 1799, mais ne put conquérir Saint-Jean d'Acre. L'armée
était épuisée et décimée par la peste. Revenue en Egypte, elle
réussit pourtant, le 25 juillet, à rejeter à la mer une seconde
armée turque qui débarquait à Aboukir. Comprenant qu'il
s'enlisait dans un pays hostile et, après avoir reçu des nouvelles
alarmantes sur la situation politique en France, Bonaparte
décida de rentrer. Il abandonna son armée qu'il confia à Kléber,
échappa à la surveillance des Anglais et débarqua à Fréjus le
8 octobre 1799.

CI-DESSUS:
BONAPARTE
VISITANT LES
PESTIFÉRÉS
DE JAFFA,
PAR A. J. GROS.

CI-CONTRE:
BONAPARTE,
SURNOMMÉ
LE "GRAND SULTAN",
EL KÉBIR, LORS
DE LA CAMPAGNE
D'ÉGYPTE.

CI-CONTRE:
LA BATAILLE
DU MONT-THABOR
(16 AVRIL 1799)
PAR L. COGNIET.
MUSÉE DES
BEAUX-ARTS,
ORLÉANS.

19

L'EXPÉDITION SCIENTIFIQUE

Dès le 26 ventôse an VI (16 mars 1798), un arrêté du Directoire prescrivit au ministre de l'Intérieur de « *mettre à la disposition du général Bonaparte les ingénieurs, artistes et autres subordonnés de son ministère, ainsi que les différents objets* », que le général lui demanderait pour servir à l'expédition dont il était chargé. Bonaparte, à la requête de qui cet arrêté avait été pris, n'avait pas attendu l'accomplissement de cette formalité pour choisir et enrôler lui-même les chefs de son futur état-major scientifique. Monge était d'ores et déjà désigné et requis. Parti pour Rome quelque

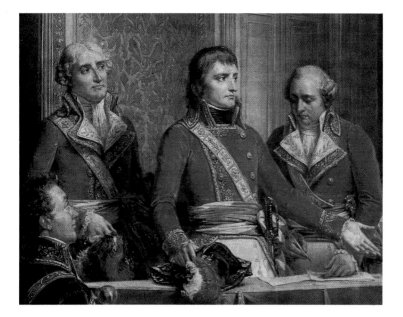

PAGE DE GAUCHE:
INSTALLATION DU
CONSEIL D'ÉTAT AU
PALAIS DU PETIT
LUXEMBOURG,
LE 25 DÉCEMBRE
1799 (DÉTAIL),
PAR A. COUDER.
DE GAUCHE À
DROITE:
LE PREMIER CONSUL
BONAPARTE
ENTOURÉ DU
DEUXIÈME CONSUL
CAMBACÉRÈS ET DU
TROISIÈME CONSUL
LEBRUN.

CI-CONTRE:
BONAPARTE LORS
DU COUP D'ÉTAT
DU 18 BRUMAIRE
(DÉTAIL),
PAR J.-L. DAVID.

temps auparavant, il avait été chargé par le général de prendre, au Vatican, les imprimeries grecques, arabe et syriaque de la Propagande, avec leurs presses, leurs caractères et leurs ouvriers, ainsi que les cartes, les livres, les documents relatifs à l'Egypte, s'il s'en trouvait.

Inséparable de Monge et, comme lui, habitué de la rue Chantereine, Berthollet avait aussi été de prime abord choisi par Bonaparte, qui l'avait connu et apprécié en Italie et lui avait demandé des leçons de chimie. Rendu célèbre par

ses travaux sur le chlore, l'alcali, les teintures, membre de l'Académie des Sciences à trente-trois ans, il avait, comme son confrère Monge, mis sa science au service de la défense nationale pendant les guerres de la Révolution ; pendant que Monge installait des fonderies de canon et écrivait un traité sur l'art de fabriquer ces engins, Berthollet avait alors cherché et trouvé de nouveaux explosifs et dirigé la fabrication de la poudre. Ses services et ses aptitudes le désignaient pour faire partie de l'expédition qui se préparait.

Berthollet et Monge formèrent donc le premier noyau de la future Commission. Autour d'eux fut rapidement groupée une incomparable phalange d'ingénieurs, d'architectes, de mécaniciens, de savants de toute sorte, d'artistes, d'écrivains, d'imprimeurs.

L'un des premiers choisis, Fourier, géomètre renommé, professeur à l'École polytechnique s'occupa de recruter, parmi ses collègues, ses anciens élèves et ses élèves, un corps d'ingénieurs civils.

La plupart des autres grands établissements de l'État, Centrale, Normale, les Mines, les Ponts et Chaussées, le

Conservatoire des arts et métiers, le Parc aérostatique de Meudon, le Museum d'Histoire naturelle, l'Observatoire, furent également mis à contribution et fournirent chacun leur contingent.

Quelques défections devaient, avant le départ, se produire dans les rangs de ces premières recrues de la Commission. Mais par contre, elle s'accrut entre temps d'un nombre considérable de nouveaux élus. L'exemple des premiers inscrits en entraîna d'autres ; leur propagande détermina des vocations ; chaque membre désigné devint une sorte de recruteur.

Au fur et à mesure de leur enrôlement, les membres de la Commission avaient été répartis en classes, correspondant à leur spécialité et aux services que le général en chef attendait d'eux ; astronomes, géomètres, chimistes et physiciens, ingénieurs-mécaniciens et constructeurs, ingénieurs des Ponts et Chaussées, ingénieurs-géographes, architectes, zoologistes, botanistes, minéralogistes, artistes et compositeurs, écrivains, économistes et antiquaires, orientalistes, imprimeurs ; enfin chirurgiens, médecins et pharmaciens.

L'ARRIVÉE DES SAVANTS À ALEXANDRIE ET À ROSETTE

Des divers vaisseaux de guerre, sur lesquels ils avaient été embarqués à Toulon, les savants et les artistes formant la Commission des sciences et des arts furent, le 15 thermidor (3 juillet 1798), surlendemain du débarquement des troupes françaises à la tour du Marabout, transbordés sur une frégate, la *Montenotte,* à laquelle son faible tonnage permettait de pénétrer dans le port d'Alexandrie.

CI-DESSOUS:
FRÉGATE FRANÇAISE
DE 40 CANONS, 1799.

CI-DESSUS:
LE MUIRON.
MAQUETTE DE 1803.
S'IL N'ÉTAIT PAS
MARIN DANS L'ÂME,
NAPOLÉON N'EN
POSSÉDAIT PAS
MOINS CE MODÈLE
À LA MALMAISON,
SOUVENIR DE LA
FRÉGATE PRISE
DANS L'ARSENAL DE
VENISE EN 1797, QUI
PARTICIPA À LA
CAMPAGNE
D'EGYPTE ET
RAMENA LE FUTUR
EMPEREUR EN
FRANCE EN 1799.

CI-DESSUS:
AMPHITHÉÂTRE
D'ALEXANDRIE.

PAGE DE GAUCHE:
LE PORT
D'ALEXANDRIE.

Absorbé par les soins qu'exige la mise en marche de troupes sur Rosette et Ramanieh, l'état-major continue pendant deux ou trois jours à négliger totalement les membres de la Commission des sciences et arts. Se plaignent-ils ? Le chef d'état-major général Berthier les renvoie au général Kléber, nommé au commandement d'Alexandrie. Alors, l'un des plus illustres, le minéralogiste Dolomieu, se fait l'interprète de leurs protestations contre l'abandon où on les laisse, sans asile et sans nourriture. De leur côté, avant que Caffarelli ne parte pour le Caire, les ingénieurs des Ponts et Chaussées vont lui exposer leurs réclamations, le général les couvre de fleurs, leur

31

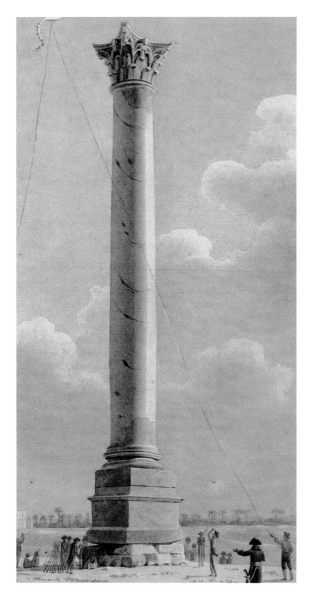

*CI-DESSUS,
CI-CONTRE ET
PAGE DE DROITE :*
LA COLONNE
DE POMPÉE, OU
PLUS EXACTEMENT
DE DIOCLÉTIEN,
D'UNE HAUTEUR DE
30 MÈTRES A ÉTÉ
ÉRIGÉE EN
L'HONNEUR DE
L'EMPEREUR
DIOCLÉTIEN, APRÈS
LA VICTOIRE
REMPORTÉE SUR
ACHILLAS (296) QUI
AVAIT PRIS EN
EGYPTE LE TITRE ET
LES INSIGNES DE LA
DIGNITÉ IMPÉRIALE.

promet qu'au Caire tout ira pour le mieux et, leur ayant ainsi doré la pilule, leur remet le programme des travaux qu'ils auront à exécuter ! C'est seulement après cinq jours d'absolu dénuement et de privations, que savants et artistes finissent par recevoir de l'administration militaire la ration alimentaire des simples soldats, dont Norry a dit la misérable qualité, et par être logés tant bien que mal, dans des galetas.

CI-CONTRE:
SPHINX
DU SÉRAPEUM
D'ALEXANDRIE.

Réunis pour la première fois à Alexandrie, le mathématicien Monge et le chimiste Berthollet, sont désignés pour accompagner Bonaparte au Caire et partent avec lui. A cheval, ils font avec l'état-major la traversée du désert d'Alexandrie à Ramanieh. C'est pendant cette marche à travers les sables que Monge découvre l'explication d'un phénomène, occasion pour les troupes de perpétuelles déceptions : le mirage, qui, leur faisant voir à l'horizon tantôt d'imaginaires surfaces d'eau, tantôt des arbres également illusoires, leur fait endurer le supplice de Tantale.

A Ramanieh, Monge et Berthollet s'embarquent, avec d'autres civils parmi lesquels Bourienne, secrétaire de Bonaparte, et l'ordonnateur en chef Sucy, sur le chebek *le Cerf,* bâtiment amiral d'une flottille qui remontera le Nil jusqu'au Caire, sous le commandement du contre-amiral Perrée.

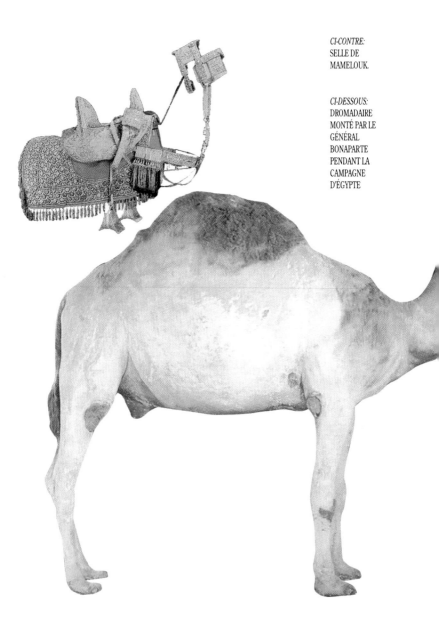

CI-CONTRE:
SELLE DE
MAMELOUK.

CI-DESSOUS:
DROMADAIRE
MONTÉ PAR LE
GÉNÉRAL
BONAPARTE
PENDANT LA
CAMPAGNE
D'ÉGYPTE

Le 14 juillet, à quelque distance de Chebreiss, où Bonaparte est en train de livrer bataille aux troupes de Mourad, la flottille se heurte à sept embarcations armées, dont elle essuie le feu, en même temps que celui d'une importante force indigène massée sur les deux rives. Monge et Berthollet prennent les armes.

Enfin, le 21 juillet, ils aperçoivent les Pyramides et entendent le canon ; Bonaparte vient de gagner, à Embabeh, la bataille dite des Pyramides. L'intention de l'amiral Perrée était de mouiller à Boulak, le port du Caire ; mais le Nil est encore si bas que le *Cerf* s'ensable et, transbordés sur une embarcation du pays, une « djerme », Monge, Berthollet et leurs compagnons de traversée débarquent à Giza. Là ils retrouvent le général en chef, qui en les revoyant, leur déclare que c'est pour aller les sauver qu'il a dû abandonner, à Chebreiss, la poursuite des Mamelouks.

CI-CONTRE:
ENVIRON D'EDFOU.

PAGE SUIVANTE:
APRÈS
L'ENSABLEMENT DU
PORT DU NIL,
QANTIR EST
ABANDONNÉ.
LES
CONSTRUCTIONS
SONT
TRANSPORTÉES
A TANIS.

Peu de temps après le départ de Monge et de Berthollet avec Bonaparte, une vingtaine d'autres membres de la Commission des sciences et des arts, désignés pour accompagner Menou à Rosette, quittent donc à leur tour et sans regret Alexandrie. De ce groupe font partie entre autres le géomètre Fourier, le littérateur Parseval-Grandmaison, le peintre Vivant-Denon, le naturaliste Geoffroy Saint-Hilaire, le botaniste Nectoux, le musicien Villoteau, le polytechnicien Villiers du Terrage, l'ingénieur Jollois, le dessinateur Joly.

Arrivés en vue du « Boghaz », de la barre qui ne permet l'entrée de la branche de Rosette qu'aux embarcations d'un faible tirant d'eau, des canots ou des chaloupes canonnières recueillent les passagers, leur font franchir la passe et remonter le Nil jusqu'à Rosette. « *Dans ces transbordements et déménagements multipliés,* écrit Villiers du Terrage, *plusieurs d'entre nous ont déjà perdu leurs effets.* »

Malgré les désagréments de l'arrivée, Rosette, par comparaison avec la vie de bord et le séjour à Alexandrie, trouve grâce à leurs yeux. Sans doute n'est-ce pas l'Éden vanté par le voyageur Savary ; mais il y a « *du lait délicieux* », de l'eau fraîche, des fruits excellents, du gibier en abondance, des bosquets de citronniers et d'orangers, avantages qu'ils font valoir dans leurs lettres à leurs camarades restés à Alexandrie.

CI-DESSOUS:
LE NIL À ASSOUAN.

CI-CONTRE:
KLÉBER.
MUSÉE NATIONAL
DES CHÂTEAUX DE
MALMAISON ET
BOIS-PRÉAU.

Voilà donc les membres de la Commission des sciences et des arts divisés en trois groupes : deux seulement mais les plus considérables de tous, au Caire, avec Bonaparte ; une vingtaine à Rosette, avec Menou ; le reste, de beaucoup le groupe le plus nombreux, avec Kléber à Alexandrie, où a été débarqué et installé le matériel d'imprimerie française et arabe, qui déjà y fonctionne. Aucun n'est inactif. Les uns trouvent immédiatement l'occasion d'exercer, soit à des travaux scientifiques, soit à des travaux pratiques, les talents qui les ont fait choisir pour accompagner l'armée en Égypte. Les autres, à qui les circonstances n'offrent pas encore cette occasion, sont utilisés, selon leurs aptitudes, à des besognes étrangères à leur profession. Bonaparte confie à Monge et à Berthollet des fonctions administratives. Tous deux font partie, avec l'ancien consul Magallon, de la Commission constituée pour la saisie des biens des Mamelouks, le recouvrement des contributions directes et indirectes, la conservation des propriétés et des magasins nationaux. Comme membres de cette Commission dite Commission administrative, ils ont à s'occuper de l'affermage de la douane, de la reconstitution de la monnaie du Caire, établissement dont ils sont nommés inspecteurs. Bonaparte les emploie en outre à préparer au Caire les futures installations scientifiques de la Commission des sciences et des arts ; concurremment avec Caffarelli, ils sont chargés de choisir les maisons où devront être établies, après leur transfert au Caire, les imprimeries française et arabe, ainsi qu'un laboratoire de chimie, un cabinet de physique, un observatoire et un Institut.

À Rosette, le géomètre Fourier et le littérateur Parseval-Grandmaison forment, avec l'ancien chevalier de Malte Le Groing, le Commission dite «Commission des trois», qui pourvoit à l'achat de denrées pour l'armée et la flotte.

PLAN D'ALEXANDRIE.

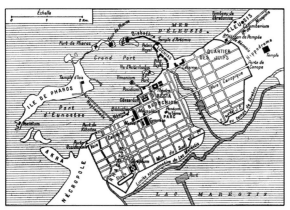

CI-CONTRE:
MACHINE À ARROSER
(DÉTAIL).

CI-DESSOUS:
DESCRIPTION DE LA
VILLE D'ALEXANDRIE.

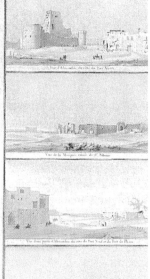

L'agronome Nectoux « *examine tout ce qui tient à l'agriculture* ». Denon prend des croquis, dessine les monuments, les types, les paysages, et aussi les animaux, les plantes, qui font l'objet des études des naturalistes et des botanistes. Parmi les naturalistes, Geoffroy Saint-Hilaire est un des plus ardents à l'étude. « *Le général Menou m'a donné*, écrit-il, *une escorte pour m'enfoncer dans le Delta et y chasser avec sûreté. J'ai trouvé nombre d'oiseaux intéressants ; les observer vivants, les décrire zoologiquement et anatomiquement, les faire préparer en peau et en squelette ont été les soins dont je me suis occupé.*» Moins bien partagés, les botanistes se plaignent de n'avoir encore trouvé que vingt espèces différentes.

C'est naturellement à Alexandrie, où il y a le plus à faire et où ils sont le plus nombreux, que les membres de la Commission des sciences et des arts sont le plus actifs.

Deux ingénieurs des Ponts et Chaussées, Girard et Le Père, sont chargés de l'inspection des citernes ; trois autres, Bodard, Faye et Chabrol, sont affectés à la remise en état du canal de Ramanieh à Alexandrie. A l'important travail du plan de la ville, concourent officiers du génie militaire, ingénieurs des Ponts et Chaussées, ingénieurs-géographes et astronomes.

CI-DESSOUS: LA MANGOUSTE D'ÉGYPTE.

PAGE DE DROITE: LE MILAN ROYAL, LARGEMENT RÉPANDU DANS LE NORD DE L'AFRIQUE. L'ORVET, REPTILE DE L'ORDRE DES SAURIENS, ANIMAL TOTALEMENT INOFFENSIF.

Avant d'installer au Caire les premiers moulins à vent, Conté, aidé de Cécile, ingénieur-mécanicien comme lui, construit à Alexandrie des fourneaux à rougir les boulets, afin de pourvoir à la défense de la place en cas d'une attaque des Anglais. Les mêmes ingénieurs fournissent à Kléber une pompe à incendie flottante.

LA FONDATION DE L'INSTITUT D'ÉGYPTE

Un ordre de Bonaparte, du 2 août 1798, enjoignant de choisir au Caire une maison pour y installer l'imprimerie de l'armée d'Égypte, un laboratoire de chimie, un cabinet de physique et, si possible, un observatoire, charge le mathématicien Monge, le chimiste Berthollet et le général du génie Caffarelli du Falga d'exécuter cette décision et ajoute : « *Il y aura une salle pour l'Institut* ».

Créer au Caire un Institut d'Égypte, sur le modèle de l'Institut de France, qu'on appelait alors l'Institut national et dont Bonaparte était membre, est donc chez lui un projet préconçu, arrêté peut-être avant son départ de Paris ; et c'est à peine maître du Caire qu'il en entreprend l'exécution.

Les cadres de l'Institut d'Égypte sont tous fournis à Bonaparte par ceux de la Commission des sciences et des arts, puisque toutes les spécialités, ingénieurs, physiciens, mathématiciens, chimistes, minéralogistes, naturalistes, agronomes, architectes, peintres, archéologues, orientalistes, arabisants, médecins, astronomes, musicographes, hommes de lettres et poètes, sont représentées dans cette Commission, et souvent par des hommes d'une capacité et d'une réputation hors pair. Il n'aura qu'à faire, parmi ceux-ci, un tri des plus éminents et des plus illustres et à leur adjoindre quelques administrateurs et militaires pour avoir une Académie composée selon la recette sacramentelle. Distinct de la Commission des sciences et des arts, l'Institut d'Égypte en recueillera donc la crème.

« *L'Institut d'Égypte et la Commission des sciences et des arts occupaient,* dit l'orientaliste Jomard, *un petit quartier situé non loin de Sitty-Zeinab et du canal. Là étaient le lieu des séances, la bibliothèque, les laboratoires de chimie et de physique, la ménagerie, le jardin de botanique, les ateliers de mécanique, etc. Les membres de ces compagnies habitaient les maisons de Quassim-Bey, de Hassan-Kachef et plusieurs autres. Un vaste corridor découvert de la maison de Hassan-Kachef avait servi à tracer une grande méridienne, construite par les astronomes avec beaucoup de soins.* »

C'est donc tout de suite que fut résolue la création de multiples établissements scientifiques, qui furent organisés dans un délai relativement bref. Peu de plans ont été plus largement tracés que celui de l'édifice grandiose dont l'Institut d'Égypte allait être la clef de voûte.

C'est seulement quand le choix du local eut été fait et l'installation mise en train que Bonaparte procéda à la fondation de l'Institut. Son ordre du 20 août prescrit que Monge, Berthollet, le général Caffarelli du Falga, Geoffroy Saint-Hilaire, l'ingénieur Costaz, le médecin en chef Desgenettes et le général Andréossy se réunissent le lendemain, à 7 heures du matin, afin d'« *arrêter un règlement pour l'organisation de l'Institut du Caire et désigner les personnes qui doivent le composer* ». Dans cette réunion furent rédigés les articles d'un décret de Bonaparte, promulgué le 22 août,

CI-DESSOUS: UNE DÉLÉGATION DU SÉNAT DEMANDE À BONAPARTE DE DEVENIR EMPEREUR DES FRANÇAIS, LE 18 MAI 1804.

véritable acte constitutif de l'Institut. « *Il y aura en Égypte,* disait ce document, *un Institut pour les sciences et les arts, lequel sera établi au Caire. Cet établissement aura principalement pour objet : 1° le progrès et la propagation des lumières en Égypte ; 2° la recherche, l'étude et la publication des faits naturels, industriels et historiques de l'Égypte ; 3° de donner son avis sur les différentes questions pour lesquelles il sera consulté par le gouvernement* ». Les articles suivants divisent l'Institut en quatre sections, celles de mathématiques, de physique, d'économie politique, de littérature et des arts, chacune composée de douze membres, et règlent l'ordre des séances, la composition du bureau, la présentation et la publication des mémoires lus à la Compagnie, la rédaction des rapports demandés par le gouvernement. Deux prix seront décernés annuellement à des travaux faits sur deux sujets mis au

51

concours, « *l'un pour une question relative aux progrès de la civilisation de l'Égypte, l'autre pour une question relative à l'avancement de l'industrie.* »

Ainsi se trouve marquée, dans cet arrêté, l'intention de faire tourner la fondation de l'Institut au profit, non seulement de l'armée et de l'occupation française, mais du pays où il va exercer son activité. L'initiative qui procède de cette généreuse intention, Bonaparte la prend au lendemain de son entrée au Caire, sous le coup du désastre naval d'Aboukir, quand la campagne à terre n'en est encore qu'à ses débuts.

Au cours de la même réunion où fut arrêté, le 20 août, le règlement de l'Institut, la phalange des sept illustres recruteurs, à qui Bonaparte a remis le soin de choisir leurs confrères, dresse la liste des membres de la savante compagnie et fixe leur répartition entre les quatre sections prévues. La liste se trouve finalement ainsi composée :

Section de mathématiques : Bonaparte, Fourier, Costaz, Nouet, Quesnot, Le Père, Girard, Le Roy, Andréossy, Say, Malus, Monge. – *Section de physique :* Berthollet, Dolomieu, Conté, Geoffroy Saint-Hilaire, Descotils, Savigny, Dubois,

Desgenettes, Champy, Delille. – *Section d'économie politique :* Caffarelli du Falga, Gloutier, Sucy, Sulkowski, Tallien, Poussielgue. – *Section de littérature et des arts :* Parseval-Grandmaison, Venture de Paradis, Norry, Dutetre, Vivant-Denon, Rigel, Redouté, un prêtre grec (qui fut don Raphaël de Monachis).

Une seule section, celle de mathématiques, atteint donc le chiffre maximum de douze membres, prévu par le règlement. Dans les trois autres, des sièges sont laissés vacants, dans l'intention de les attribuer plus tard.

La grande majorité des membres est prise dans la Commission des sciences et des arts. L'armée est représentée par Bonaparte, par les généraux Caffarelli et Andréossy, par le commandant Say, chef d'état-major du génie, par Sulkowski, aide de camp du général en chef ; le service de santé, par Desgenettes et Dubois ; l'administration, par l'ordonnateur en chef Sucy, par l'administrateur général des Finances Poussielgue et par l'administrateur Gloutier ; le clergé oriental, par don Raphaël de Monachis ; la politique, par Tallien.

Deux ingénieurs des Ponts et Chaussées, Girard et Le Père, sont chargés de l'inspection des citernes ; trois autres, Bodard, Faye et Chabrol, sont affectés à la remise en état du canal de Ramanieh à Alexandrie. A l'important travail du plan de la ville, concourent officiers du génie militaire, ingénieurs des Ponts et Chaussées, ingénieurs-géographes et astronomes. Avant d'installer au Caire les premiers moulins à vents, Conté, aidé de Cécile, ingénieur-mécanicien comme lui, construit à Alexandrie des fourneaux à rougir les boulets, afin de pourvoir à la défense de la place en cas d'une attaque des Anglais. Les mêmes ingénieurs fournissent à Kléber une pompe à incendie flottante.

CI-DESSOUS:
PLAN DES HÔPITAUX
D'ALEXANDRIE.

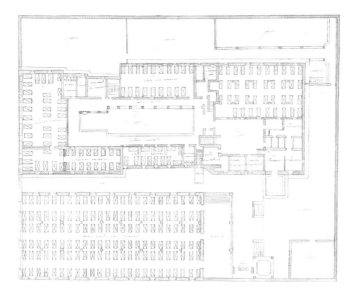

LA PRESSE ET L'IMPRIMERIE

Bonaparte s'était fait accompagner en Égypte de deux imprimeries, l'une officielle et l'autre privée. L'officielle était celle dont le matériel avait été fourni par l'Imprimerie Nationale de France et le personnel recruté à Paris, complété à Rome par les soins de Monge, que Bonaparte en avait chargé. Elle disposait de caractères français, arabes et grecs et se subdivisait en deux sections, l'une orientale, l'autre française, réunies sous le nom d'« Imprimerie orientale et française ». Le directeur en était l'orientaliste J. Marcel.

Avant son transfert au Caire l'administration de Marcel continua de fonctionner à Alexandrie. Kléber la mit à contribution pour les besoins de son commandement et pour les travaux ordonnés par le quartier général, tandis que Marcel y faisait éditer, outre le « *Code pénal militaire pour toutes les troupes de la République* », deux petits ouvrages de sa

composition : un « *Alphabet arabe, turc et persan* », à l'usage de ses propres employés, et des « *Exercices de lecture d'arabe littéral, extraits du Koran, à l'usage de ceux qui se livrent à l'étude de cette langue* ». Ces deux manuels, l'un technique, l'autre scolaire, sont les premiers livres qui aient été imprimés en Égypte.

L'imprimerie privée était celle du citoyen Marc Aurel, fils d'un libraire-imprimeur de Valence-sur-Rhône, que Bonaparte avait connu pendant qu'il tenait garnison dans cette ville.

CI-DESSUS ET PAGE DE DROITE: LA DÉCADE ÉGYPTIENNE ÉDITÉE PAR L'IMPRIMERIE NATIONALE.

Quand Bonaparte était parti pour l'Égypte, Marc Aurel l'avait suivi, avec ses presses et ses caractères, mais à titre d'imprimeur libre, sans qualité officielle.

Embarquée à bord de *l'Orient*, vaisseau-amiral, l'imprimerie de Marcel avait commencé à travailler en cours de traversée. De ses presses étaient sortis, entre autres imprimés français, la proclamation et l'ordre de Bonaparte à l'armée, en dates des 3 et 4 messidor (21 et 22 juin), et, en fait de texte arabe, la proclamation du général en chef aux Égyptiens, qu'il avait voulu répandre dans la population, dès son premier contact avec elle, et qui fut effectivement publiée dès le lendemain.

A son arrivée au Caire, il prit le titre d'« imprimeur de l'armée », et le garda jusqu'à son départ d'Égypte, et dont il fit suivre son nom sur toutes les pièces éditées par ses soins, Marc Aurel imprima, à partir de son installation au Caire, les ordres du jour que lui transmit le quartier général et deux périodiques, créés à l'instigation de Bonaparte : un journal, *le Courrier d'Egypte,* et une revue littéraire et scientifique, *la Décade égyptienne.*

Paraissant tous les cinq jours, *le Courrier d'Egypte* sera un journal d'informations locales et de nouvelles d'Europe, les unes et les autres soigneusement triées ; il répond au besoin de tenir l'armée au courant de ce qui se passe dans la colonie et au dehors, d'apporter à la capitale un écho de la vie des provinces et aux villes de province un écho de la capitale, enfin de diriger l'opinion de ses lecteurs. Le directeur et les rédacteurs

LA DÉCADE
EGYPTIENNE,
JOURNAL LITTÉRAIRE
ET
D'ÉCONOMIE POLITIQUE

PREMIER VOLUME.

AU KAIRE,
DE L'IMPRIMERIE NATIONALE

AN VII DE LA RÉPUBLIQUE FRANÇAISE.

en sont désignés par Bonaparte lui-même ; un homme de lettres, Parseval-Grandmaison, pressenti pour la direction, la refuse ; à sa place est choisi le mathématicien Fourier. Le premier numéro du *Courrier de l'Égypte* paraît le 12 fructidor an VI (29 août 1798), imprimé par Marc Aurel.

Le *Courrier* n'avait que très peu d'espace à consacrer aux travaux de l'« Institut d'Égypte », qui venait d'être fondé au Caire et dont les séances ne font l'objet, dans ses colonnes, que de quelques lignes, et encore pas toujours.

Naquit alors un second journal, scientifique et littéraire, celui-là, dont la création fut décidée dès la première réunion de l'Institut : *la Décade philosophique.*

PAGE DE DROITE :
LE CHEIKH
CHARQAWI, ÉLU
PRÉSIDENT DU
PREMIER DIVAN.
PEINT PAR M. RIGO.

CI-DESSOUS :
MÉHÉMET-ALI
RECEVANT UNE
AMBASSADE (1839).
LITHOGRAPHIE
D'APRÈS
D. ROBERTS.

Cette publication ne limita pas les matières de la *Décade* aux seuls travaux de l'Institut, mais les étendit au contraire à tout ce dont des collaborateurs bénévoles voudraient la faire bénéficier, pourvu qu'il ne s'agisse pas de politique, seul sujet interdit.

Parmi les innovations introduites en Égypte par Bonaparte, c'est l'imprimerie dont l'intérêt fut le mieux compris ou le moins méconnu par les Égyptiens jouissant d'une certaine instruction.

CI-CONTRE:
LE GRAND CHEF
MAMELOUK,
MOURAD BEY,
*DESCRIPTION DE
L'ÉGYPTE*, D'APRÈS
A. DUTERTRE.

L'imprimerie Nationale du Caire est, de tous les établissements français, celui qui devint, de la part des Égyptiens cultivés, l'objet de la curiosité la plus bienveillante ou la moins oiseuse. Les principaux membres du Divan, les cheiks El-Mohdy, El-Fayoumi et El-Savi entre autres, la visitèrent plusieurs fois et s'intéressèrent, pendant leurs visites, aux procédés en usage pour l'impression, soit du français, soit des langues orientales.

DESCRIPTION
DE L'ÉGYPTE,

OU

RECUEIL

DES OBSERVATIONS ET DES RECHERCHES

QUI ONT ÉTÉ FAITES EN ÉGYPTE

PENDANT L'EXPÉDITION DE L'ARMÉE FRANÇAISE,

PUBLIÉ

PAR LES ORDRES DE SA MAJESTÉ L'EMPEREUR

NAPOLÉON LE GRAND.

ANTIQUITÉS, PLANCHES.

TOME PREMIER.

À PARIS,

DE L'IMPRIMERIE IMPÉRIALE.

M. DCCC. IX.

PAGES PRÉCÉDENTES:
LE SULTAN ABDUL HAMID I LE JOUR DU GRAND BAÏRAM. MUSÉE BERTRAND, CHÂTEAUROUX.

CI-CONTRE:
FRONTISPICE DE LA DESCRIPTION DE L'ÉGYPTE.

LA DESCRIPTION DE L'ÉGYPTE

Outre les deux gazettes, le gouvernement projeta un ouvrage, *la Description de l'Égypte,* qui ne commencera de paraître qu'à partir de 1809, mais dont le projet a été arrêté dès juillet 1798, peut-être avant. A défaut de Redouté, sur qui il avait compté, le général Menou affecte à ce travail un autre artiste « *qui l'accompagne sans cesse pour les travaux de zoologie* ». Le jeune savant qui rapporte ce trait, Geoffroy Saint-Hilaire, est lui-même en quête de « *poudre à giboyer* », pour approvisionner de gibier celle de ses tables à laquelle il s'intéresse de beaucoup le plus, sa table de dissection. Demandant qu'on lui envoie d'Alexandrie « *des gerboises et des rats fauves* », impatient d'annoncer quelque découverte à ses collègues du Museum d'histoire naturelle de Paris, celle d'une nouvelle espèce de reptiles ou de quadrupèdes disparus, inconnue de Lacépède, il triomphe de pouvoir en remontrer à Cuvier et à Brongniart sur l'anatomie du « *orni-cynocéphale* ». Modèle de zèle scientifique.

Le contact de l'Égypte leur a communiqué à tous une sorte de fièvre intellectuelle.

Travailler n'est pourtant pas facile, car la majeure partie des machines et outils de l'armée, notamment la plupart des appareils scientifiques de la Commission, formaient la cargaison d'un vaisseau qui s'est échoué, et ont été perdus avec lui. Presque tout est donc à refaire sur place, à fabriquer dans ces ateliers mécaniques, dont le propre matériel est d'abord à improviser. A Conté, membre de l'Institut d'Égypte, va incomber cette tâche écrasante.

La confiance de Bonaparte en ses talents, Conté la justifie au-delà de toute attente. Dès la fin de l'an VI, ses ateliers mécaniques sont montés et fonctionnent. Le rendement en est surprenant ; ils fournissent tout ce qu'on leur demande et même ce qu'on n'aurait pas songé à leur demander : des appareils de chirurgie pour les hôpitaux, des

lunettes pour les astronomes, des compas et des crayons pour les dessinateurs, des loupes et des microscopes pour les naturalistes, des machines pour l'imprimerie, pour la fabrication de la poudre, pour frapper la monnaie, pour tanner le cuir, des instruments de précision pour les ingénieurs et les topographes, du matériel de fonderie, de l'acier, du carton, des toiles vernissées, des lames de sabre, des trompettes pour

CI-CONTRE:
PLANCHE TIRÉE DE
LA *DESCRIPTION DE*
L'ÉGYPTE. « ROCHES
QUI AVOISINENT
D'ANCIENNES MINES
DE CUIVRE ET DE
PLOMB ».

la cavalerie, du drap et jusqu'à des chapeaux ! Quel étonnant et rare spectacle dut offrir ce vaste enclos de l'Institut, quand, près de l'Arche de Noé que Geoffroy Saint-Hilaire s'évertuait à reconstituer dans sa ménagerie et sa volière, du jardin botanique, où Raffeneau-Delille et Nectoux semaient ou plantaient leurs végétaux, du laboratoire où Berthollet, Champy et Descotils maniaient éprouvettes et cornues, du cabinet de physique et d'histoire naturelle où Dolomieu examinait ses minéraux et Savigny ses insectes, de la salle d'étude où Monge, Fourier, Malus, Corancez avaient pendu leur tableau noir, de l'observatoire où Nouet, Méchain et Quesnot inspectaient le firmament, de la bibliothèque où Marcel, Venture de Paradis, Panhusen traduisaient des

CI-DESSOUS :
PLANCHE TIRÉE DE
LA DESCRIPTION DE
L'ÉGYPTE. MOMIES
ET DÉTAILS DE
CROCODILE,
DE SERPENT ET
DE CHIEN.

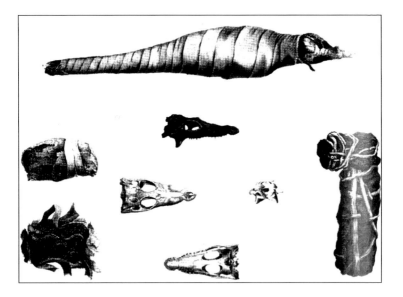

manuscrits arabes, des ateliers où Vivant-Denon, Dutertre, Casteix et Rigo dressaient leurs chevalets, Norry, Balzac, Protain et Lancret leurs tables d'architectes, s'établit encore cette sorte d'officine à tout fabriquer, où Conté, Cécile et leurs aides débitèrent sur commande une grande partie de ce que l'industrie de l'homme avait appris à produire !

A cette partie de sa tâche, Conté se garde aussi de faillir : il étudie les procédés des Égyptiens, leurs outils, leurs ustensiles, leurs métiers à tisser, leurs moulins à huile et à farine, visite des ateliers indigènes au Caire, dessine avec une admirable exactitude et un art consommé plus de cinquante scènes d'artisans à l'ouvrage, pour sa contribution personnelle à la *Description* du pays, et trouve encore le temps, à ses moments perdus, de faire des croquis de types et de costumes. Son activité est inlassable et d'une extraordinaire diversité, car sa direction industrielle ne lui fait pas négliger celle de ses aérostiers, par qui il fera fabriquer montgolfières et machines aérostatiques, pour être lancées aux jours de fête. Inventeur, il sait se faire, au besoin, ouvrier : ayant imaginé une machine, il la construira lui-même. Mais au sortir de la forge, où il avait travaillé de ses mains, réalisé dans le fer son idée et son épure, on le verra s'adonner à l'enquête ouverte sur l'industrie locale, demander aux sciences exactes le principe et la formule d'une nouvelle invention, en expérimenter une antérieure.

PAGE DE DROITE:
CHOIX DE VASES
DIVERS RELEVÉS PAR
REDOUTÉ POUR LA
DESCRIPTION DE
L'EGYPTE

CI-DESSOUS:
ATELIER DE
TISSERANDS DÉCRIT
PAR CONTÉ.

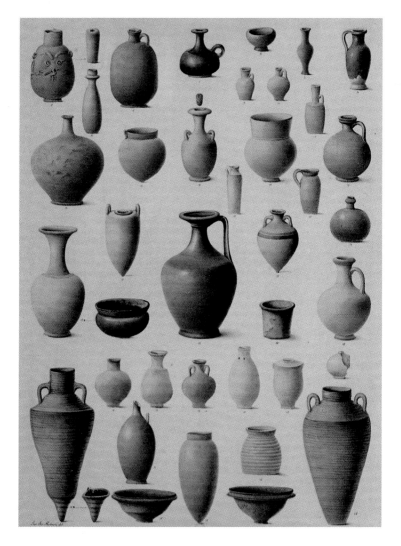

73

Repérage et observation

Le rassemblement des membres de la Commission, leur mutuel voisinage permettent entre eux une collaboration qui, vu l'exceptionnelle valeur des principaux, sera remarquablement fructueuse.

PAGE DE DROITE: INGÉNIEURS GÉOGRAPHES.

Alors sont activés, élargis et méthodiquement poursuivis les travaux déjà mis en train par les membres de la Commission, dès leur séjour à Alexandrie et à Rosette : ceux du plan d'Alexandrie, terminés en moins de trois mois, ceux du plan du Caire entrepris à partir de la mi-septembre par Corabœuf et Jacotin, les premiers et les seconds avec l'assistance des astronomes Nouet et Méchain. Les ingénieurs Le Père et Jacotin, le chef des géographes, Testevuide, entament le travail préparatoire à la confection de la carte générale d'Égypte, pour laquelle seront centralisées au Caire les données recueillies par de nombreux collaborateurs, militaires et civils, au cours des marches, des opérations de conquête et de pacification, des reconnaissances.

Mais ce n'est pas qu'à la carte que profitent les opérations militaires : c'est à la connaissance du système des irrigations, du réseau des canaux ; à cette « topographie médicale de l'Égypte », dont Desgenettes a tracé le programme à ses médecins ; à l'étude des propriétés du climat, des produits du sol ; à celle de la population, de ses mœurs, de ses institutions ; à l'archéologie ; à l'inventaire de la faune et de la flore. Pour chacune de ces matières, une documentation commence à s'amasser, tandis que le champ des observations s'agrandit.

L'intérêt et l'admiration éveillée par les premières ruines, rencontrées à Alexandrie et autour du Caire, font naître chez les savants et artistes un souci de préservation, pour ce patrimoine historique et artistique de l'Égypte : souci qui semble s'être allié chez eux avec des intentions de « déménagement », que les circonstances les empêcheront le

plus souvent de mettre à exécution. Quoi qu'il en soit, le projet de constituer à l'Institut une collection archéologique, -qui ne compta jamais beaucoup de pièces, mais n'en fut pas moins le premier essai de musée tenté au Caire,- ce projet fait aussitôt sentir la nécessité d'assujettir à certains principes le transfert des antiquités enlevées à leur séjour séculaire. Dolomieu, qui, minéralogiste et voyageur, est donc tout indiqué pour s'intéresser aux voyages des pierres, entretient l'Institut « *des précautions et du discernement qu'il lui paraît convenable d'apporter dans le choix, la conservation et le déplacement des monuments anciens* ». Ses confrères adoptent ses conclusions et lui adjoignent quelques acolytes pour « *rassembler avec soin*

CI-DESSOUS:
LA ROUE À POTS
OU *SAKIEH*.

tous les objets antiques qu'ils pourront se procurer, en distinguant
ceux qu'un intérêt local rend recommandables et qui ne seraient
pas déplacés sans inconvénients ».

Tant de zèle au travail, et si spontané, aurait pu
permettre à Bonaparte d'abandonner l'Institut à sa propre
activité, de le laisser en renouveler lui-même les objets. Mais
quelle activité pouvait jamais satisfaire le vice-président et
haut-protecteur de l'Institut d'Égypte ? Assidu aux séances de
son académie coloniale, il lui défère, pour la seconde fois,
toute une série de questions, « *sur des matières spéciales à l'Égypte*
et sur les améliorations morales et physiques que réclamait cette
contrée ». Peut-on cultiver la vigne en Égypte ? Quel est le

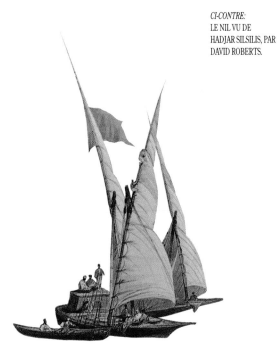

rapport comparé de la culture du blé en Égypte et en France ? Est-il possible de creuser des puits dans le désert ? Quelles sont les réparations à faire à l'aqueduc qui porte les eaux du Nil à la citadelle du Caire ? Qu'y a-t-il à entreprendre pour remettre en état le fameux nilomètre de l'île de Rodah, le « mekyas » ? etc. Aussitôt soumises à autant de comités, ces questions d'utilité générale sont toutes inspirées du souci de contribuer au bien du Caire et de l'Égypte. « *En mettant à l'ordre du jour cette série de propositions, a-t-on pu dire, Bonaparte témoignait toute sa prévoyance pour l'avenir de sa conquête.* »

L'EXPÉDITION DE VIVANT-DENON

Pendant que l'équipe de Le Père arpentait l'isthme de Suez, Vivant-Denon remontait la vallée du Nil entre le Caire et la première cataracte.

Ayant épuisé les charmes du Caire, où il avait fait force dessins, il avait voulu partir pour le Sinaï avec une caravane d'Arabes qui en étaient venus et y retournaient. Mais le chef de cette caravane avait refusé de prendre la responsabilité de sa personne. Comme, à ce moment, un convoi de munitions destinées à Desaix en Haute-Égypte quittait le Caire, il s'y était joint et avait embarqué sur une felouque. Deux ou trois jours de lente navigation sur le Nil, les pyramides de Saqqara aperçues dans le lointain et dessinées au passage, et Denon rejoint en Moyenne-Égypte le général Belliard, qu'il ne quittera plus de six mois (mi-novembre 1798 à juillet 1799). Son sort est désormais lié à celui de la 21ᵉ demi-brigade, dont il partage les fatigues, les privations et les combats.

Mais en décembre, Desaix, rentré du Caire avec des renforts qu'il était allé chercher, entreprend la poursuite des Mamelouks le long de l'étroit couloir qu'est la Haute-Égypte ; et une marche ininterrompue commence, qui ne s'arrêtera qu'à Syène, à Philae.

Denon est déjà trop averti des choses de la guerre pour ne pas entrevoir les épreuves que lui réserve cette rude campagne. Mais elles ne sont pas pour lui faire peur : « *J'étais accoutumé au bivouac,* dit-il, *et le biscuit de munition ne m'épouvantait pas.* » Il ne craint plus « *que de manquer de temps, de crayons, de papiers et de talent* ». Il est peut-être le seul qui, « *dans tout cela, n'ait à acquérir ni gloire, ni grade* ». Cependant son ardeur ne le cède à celle d'aucun militaire ; il est joyeux d'avoir repris « *son poste à l'avant-garde de l'expédition* ». La raison de son entrain, c'est qu'il va « *défricher un pays neuf* », pénétrer le mystère d'une contrée dont les Européens n'avaient encore qu'une connaissance très superficielle, parce que les voyageurs n'y avaient jamais étendu leurs investigations au-delà de quelques kilomètres des berges du Nil. Le fait est que son expédition va être sa propre initiation à la Haute-Égypte, la révélation aux Français des splendeurs architecturales qu'elle garde.

Le voici, à el-Achmounein, devant un portique célèbre dont ne subsistent plus aujourd'hui que des vestiges. « *Je soupirais de bonheur… c'était le premier monument qui fût pour moi un type de l'architecture égyptienne.* » Ces pierres, qui l'attendaient là depuis quatre mille ans pour lui donner une idée de la perfection des arts dans l'ancienne Égypte, lui révèlent la beauté d'une architecture jusqu'alors insoupçonnée de lui. Son admiration la place d'emblée au rang qu'elle mérite : « *Les Grecs n'avaient rien inventé.* » Que l'on songe au caractère presque sacrilège de cette constatation, destructrice du dogme qui, depuis des siècles, situait dans l'antiquité grecque et romaine la source des arts plastiques ! Mais ce n'est pas encore devant le portique d'Hermopolis que Denon reçut, si l'on peut dire, le coup de foudre.

Il venait de passer, sans pouvoir s'arrêter, à côté de ruines qu'il aurait voulu visiter et de séjourner trois semaines dans une ville moderne sans intérêt pour lui, s'impatientant contre les exigences militaires, qui réglaient les mouvements des troupes au rebours des besoins de l'archéologie, quand l'armée arriva à proximité de Dendera. Desaix et Belliard lui devaient une revanche : ils la lui procurèrent, en lui laissant le temps d'admirer le magnifique temple qui se dresse en cet endroit. Là Denon est positivement ébloui. Ce temple ptolémaïque, en parfait état de conservation, avec ses touches de polychromie encore visibles au plafond de sa salle hypostyle,

si imposant et si gracieux à la fois, enseigne à Denon « *que ce n'était point dans les seuls ordres dorique, ionique et corinthien qu'il faut chercher la beauté de l'architecture, que la beauté existait partout où existait l'harmonie des parties* ». Les généraux oublient un instant, les soucis de la poursuite des Mamelouks : Belliard tient compagnie à l'artiste dessinant, sur la plate-forme du temple, certain zodiaque qui sera plus tard transporté à Quassim-Bey, puis au Louvre, sous la garde du baron Denon, devenu conservateur du musée impérial.

PAGE DE DROITE :
SALLE HYPOSTYLE
DU TEMPLE DE
DENDERA, PAR
DAVID ROBERTS.
LES COLONNES-
SISTRES SONT
ORNÉES DU VISAGE
DE LA DÉESSE
HATHOR, SURMONTÉ
DU SISTRE QUI POSE
SON REGARD EN
DIRECTION DES
POINTS CARDINAUX.

Le charme qui a opéré sur lui à Dendera n'est plus rompu, de tout le reste d'une campagne où l'attrait des découvertes soutient ses forces, mises à rude épreuve et parfois presque épuisées. Il les retrempe, à chaque étape, dans un spectacle qui renouvelle son admiration. C'est Thèbes, aperçue de la rive gauche du Nil et si belle, si grandiose, qu'à l'aspect

CI-CONTRE ET PAGE DE DROITE EN BAS: PORTIQUE DU TEMPLE D'EDFOU.

CI-CONTRE :
SALLE HYPOSTYLE
D'ESNA.

89

de ces ruines gigantesques, l'armée se met à battre des mains : pressé par le temps, Denon dessine avidement, comme s'il craignait que « *Thèbes ne lui échappât* ». Ce sont ensuite Ermant, où subsiste alors un temple détruit depuis, Esna, qui l'enchante au point de lui paraître « *le monument le plus parfait de l'antique architecture* », Edfou, dont les dimensions et la position le séduisent, Syène et enfin Philae, où il ne se tient pas d'aise d'être, pour plusieurs semaines, « *possesseur de sept à huit monuments dans l'espace de trois cents toises* ». Il y travaille dans le ravissement et, pour la première fois, à loisir.

CI-DESSOUS:
EDFOU.

PAGE DE DROITE:
LE RAMESSEUM DE
RAMSÈS II.

93

CI-CONTRE
ET CI-DESSOUS:
LE TEMPLE DE
KÔM OMBO, RÈGNE
DE PTOLÉMÉE XII,
VERS 80-51 AV. J.-C.

94

Le retour, en descendant le Nil ou le suivant, lui fait voir Kôm Ombo, fièrement campé sur un promontoire, et le ramène à Thèbes, entrevue seulement à la montée. Louqsor, Karnak, Médinet Habou, le Ramesseum, Gourna, la Vallée des Rois se révèlent alors à lui. La magnificence et l'immensité de Karnak le déconcertent, le déroutent : il y est perdu. Mais dans les tombeaux des rois, où l'exploration lui réserve des sensations entièrement neuves, sculptures, bas-reliefs, stucs

95

et peintures lui découvrent des aspects de l'art égyptien, totalement insoupçonnés de lui. Les opérations militaires le reconduisent plusieurs fois à Thèbes, champ inépuisable d'observations, où il n'est jamais las de revenir. Le jour où lui est apporté un papyrus, il pense défaillir : « *Je ne savais que faire de mon trésor, tant j'avais peur de le détruire ; je n'osais toucher à ce livre, le plus ancien des livres connus jusqu'à ce jour, je n'osais le confier à personne, le déposer nulle part : tout le coton de la couverture qui me servait de lit ne me parut pas suffisant pour l'emballer assez mollement.* »

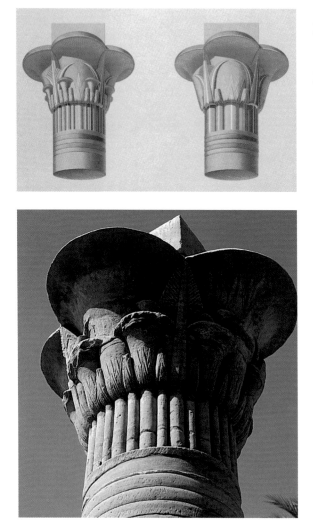

Quand Denon rentre au Caire, dans l'été de 1799, les dessins qu'il rapporte, ces dessins qu'il a faits, dit-il, « *le plus souvent sur mon genou, debout, même à cheval, n'ayant jamais pu en terminer un à ma volonté* », obtiennent le plus grand succès auprès de ses confrères de l'Institut et de la Commission. Mais il n'est pas quitte avec ceux-ci en leur montrant ses croquis, ni même en les leur commentant dans ses causeries avec eux. L'Institut attend de lui la primeur de ses impressions sur la région qu'il est le premier, parmi les académiciens, à avoir parcourue. On lui réclame l'esquisse du récit de voyage qu'il se propose d'écrire à tête reposée ; et le voyageur s'exécute. Denon compose un « *discours pour être lu à l'Institut du Caire* ». Ce ne sont que quelques pages, et elles sont loin d'avoir le charme du livre qu'il publiera plus tard ; mais du moins y trouve-t-on marquées d'un trait rapide les

CI-DESSOUS:
VUE DU CAIRE ET DE LA CITADELLE.

étapes archéologiques de son itinéraire en Haute-Égypte. La révélation qu'il avait eue de l'art égyptien y est sensible, et par endroits passe le souffle de l'enthousiasme qui l'a animé.

C'est au début de février 1799 que la division de Belliard, avec laquelle marchait Denon, avait atteint Syène (Assouan), frontière méridionale de l'Égypte, et en juillet de la même année que l'artiste avait regagné le Caire. Dans l'intervalle, exactement entre le 10 février et le 14 juin, Bonaparte s'était avancé, suivi d'une quinzaine de mille hommes, jusqu'à Saint-Jean-d'Acre en Syrie, puis en était revenu, à la tête d'un peu moins. L'expédition de Syrie fut une nouvelle occasion d'émotions pour l'Institut d'Égypte, dont la destinée était de ne jamais connaître le calme où se poursuivent généralement les recherches scientifiques, les

études artistiques et les travaux techniques. Jamais aucune compagnie savante n'eut, du commencement à la fin, existence plus agitée.

Il semblerait que, devant tant de courage et de talent, mis au service de la science et de l'art, même la passion de l'ennemi dût désarmer. Mais rien l'a-t-il jamais désarmée ! L'Institut d'Égypte a été, lui aussi, « critiqué » par les humoristes anglais, assez lourdement d'ailleurs. Un caricaturiste d'Outre-Manche imagine, poursuivis par des crocodiles, qui leur mordent, à l'un la cuisse à l'autre le bas du dos, deux savants français, auteurs de traités sur « l'éducation des crocodiles » et sur « les droits du crocodile ». La scène est intitulée : « *L'insurrection de l'Institut amphibie* ». Il faudra du temps pour que les Anglais apprécient plus judicieusement la valeur des travaux de l'Institut et de la Commission.

CI-DESSUS : L'INSURRECTION DE L'INSTITUT AMPHIBIE. CARICATURE ANGLAISE SUR L'INSTITUT DU CAIRE.

La Syrie

Partant pour la Syrie, Dunois, plus tard mis en musique par la belle-fille de Bonaparte, ne dut pas avoir des soucis aussi nombreux que le proconsul de la République française en Égypte.

Passée l'alerte de l'insurrection du Caire, l'expédition française en Égypte connaît des soucis financiers.

L'administration reste talonnée par ce besoin d'argent, qui l'obsèdera plus ou moins jusqu'au terme de son existence. A l'automne de 1798 et au début de 1799, ce besoin est plus pressant que jamais. La caisse de l'armée est à sec. La solde est en retard. Le poids des dépenses publiques s'alourdit. La préparation de l'expédition de Syrie crée des occasions de dépenses nouvelles. La conquête en cours de la Haute-Égypte ne rapporte encore au trésor que des rentrées irrégulières.

CI-DESSOUS:
LE PORT DE
ST-JEAN D'ACRE.

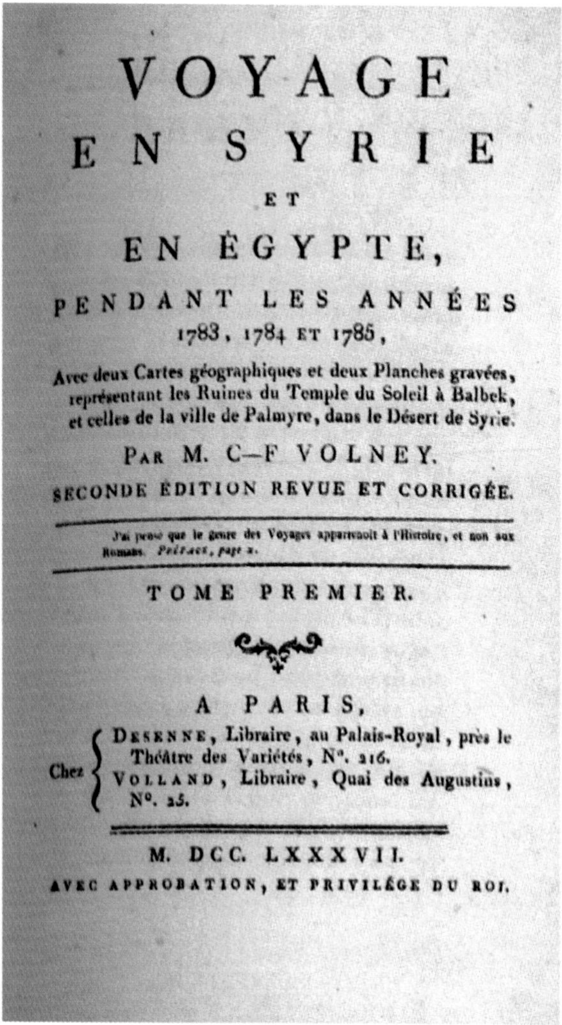

CI-CONTRE:
PREMIÈRE ÉDITION
DU VOYAGE EN SYRIE
ET EN ÉGYPTE
DE VOLNEY, EN 1787.

VOYAGE
EN SYRIE
ET
EN ÉGYPTE,

PENDANT LES ANNÉES
1783, 1784 et 1785,

Avec deux Cartes géographiques et deux Planches gravées,
représentant les Ruines du Temple du Soleil à Balbek,
et celles de la ville de Palmyre, dans le Désert de Syrie.

PAR M. C—F VOLNEY.
SECONDE ÉDITION REVUE ET CORRIGÉE.

J'ai pensé que le genre des Voyages appartenoit à l'Histoire, et non aux
Romans. *Préface*, page 2.

TOME PREMIER.

A PARIS,

Chez { DESENNE, Libraire, au Palais-Royal, près le
Théâtre des Variétés, N°. 216.
VOLLAND, Libraire, Quai des Augustins,
N°. 25.

M. DCC. LXXXVII.
AVEC APPROBATION, ET PRIVILÉGE DU ROI.

« *L'expédition de Syrie ayant éloigné du Caire un grand nombre de membres de l'Institut, il n'y a point eu de séances les 21 et 26 pluviôse, de même qu'en ventôse, germinal, floréal, prairial et les 1ᵉʳ et 6 messidor.* » Ainsi s'exprime la *Décade égyptienne,* qui continue à rendre compte sommairement des réunions de l'Institut d'Égypte. Que de souffrances, que de pertes, passe sous silence cette laconique constatation du chômage de la savante compagnie, pendant toute la durée de la meurtrière campagne de Syrie !

109

Nombreux sont les membres de l'Institut, plus encore ceux de la Commission des sciences et des arts, qui ont accompagné Bonaparte dans cette expédition. Tous se sont mis en route avec leur foi dans son étoile : elle sera mise à plus rude épreuve qu'elle ne l'avait encore été.

CI-DESSOUS:
REPOS D'UNE
CARAVANE DANS LE
DÉSERT DE SYRIE.

Bonaparte adoucit aux deux doyens de la phalange, Monge et Berthollet, la traversée du désert entre Quatieh et Gaza : ils la font dans sa voiture. Privilégié aussi, Costaz enfourche une monture fournie par l'écurie du général en chef. Les autres cheminent, qui à chameau, qui à cheval, qui

The Temple of Bel 45 A.D.

à pied, selon leur grade ou leur assimilation ; et ces étapes dans le sable, sous l'implacable soleil, sans rencontrer un bouquet de palmiers depuis El-Arisch jusqu'à Khan-Younès, sont les plus dures qu'ils aient jamais abattues. Encore tel fanatique de sa science n'hésite-t-il pas à accroître sa fatigue pour mieux s'acquitter d'un travail qui soutient ses forces : Jacotin, tout colonel qu'il est, arpente à pied la distance du Caire à Saint-Jean-d'Acre, « *relevant au pas et à la boussole les marches et les camps de l'armée, préparant la carte du pays envahi* » ; Savigny, le seul naturaliste qui soit de l'expédition, quand tous les militaires sont harassés et recrus de lassitude, « *emploie son temps à ramasser les insectes qui se trouvent dans le désert* ». Grâce à lui se fait en Syrie une récolte pleine d'intérêt ; à son retour, il gratifiera son camarade Geoffroy Saint-Hilaire des lézards, serpents et quadrupèdes sur lesquels il a fait main basse pour les lui rapporter.

Les premiers succès, certains chèrement achetés, n'apportent pas avec eux que des impressions réconfortantes. Jaffa enlevée d'assaut, le sac de la ville rend les savants témoins de scènes de carnage et de pillage. Puis, vient l'exécution en masse des prisonniers turcs : massacre à froid, dont les consciences demeurent troublées. Ensuite se déclare la peste, qui se propage avec rapidité. Les médecins militaires la baptisent « fièvre à bubon », pour ne pas trop effrayer les troupes. Mais cet euphémisme ne trompe que les ignorants, et encore pas longtemps. Resté dans le charnier de Jaffa, avec une garnison de quatre cents hommes, le mathématicien et

CI-DESSOUS:
TEMPLE DE
PALMYRE EN SYRIE.

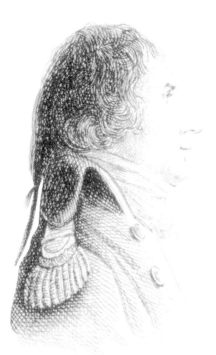

CI-CONTRE:
MALUS, MEMBRE DE
L'INSTITUT
D'ÉGYPTE, FUTUR
MEMBRE DE
L'ACADÉMIE DES
SCIENCES.

physicien Malus, membre de l'Institut d'Égypte et futur membre de l'Académie des Sciences, est chargé d'aménager l'hôpital des pestiférés. Naturellement, il est bientôt atteint du « *mal qui répand la terreur* » et peu s'en faut qu'il n'en meure. Embarqué pour Damiette, la traversée le sauve et sa guérison résiste à un mois de séjour dans le lazaret de cette ville, rempli de pestiférés, comme lui évacués de Syrie. Avant de quitter Jaffa, il a passé la contagion à Saint-Simon, membre de la Commission des sciences et des arts, frère du futur fondateur du saint-simonisme. « *Saint-Simon, arrivant d'Égypte, vint me voir,* rapporte laconiquement Malus *; il était en parfaite santé : le surlendemain il était mort.* » Le même sort échoit au polytechnicien Bringuier, qui venait de recevoir l'épaulette de sous-lieutenant d'artillerie.

114

CI-DESSOUS:
AFIN DE LEUR DONNER DU
COURAGE, LE MÉDECIN
CHEF DE L'ARMÉE
DESGENETTES S'INOCULE
LA PESTE DEVANT SES
SOLDATS DÉJÀ ATTEINTS.

Ceux qui ont suivi Bonaparte sous les murs de Saint-Jean-d'Acre ont d'abord pu se croire mieux préservés. Mais la résistance de cette place ne tarde pas à leur réserver des déceptions déprimantes et des deuils douloureux. La flottille qui portait le parc de siège est capturée en mer par les Anglais ; on déplore que l'artillerie n'eût pas adopté ces « *affûts avec roues à jantes très larges* », dont Conté avait proposé de munir les canons de gros calibre, pour leur faire traverser le désert. Bientôt le service de tranchée creuse de nombreux vides dans les rangs des officiers du génie et de l'artillerie. Après Charbaud et Fuseau de Saint-Clément, tous deux frais émoulus de l'X, tombe le chef d'état-major des sapeurs, Horace Say, membre de l'Institut d'Égypte, l'un des fondateurs de Polytechnique, où il avait enseigné les fortifications. Perte plus sensible encore, celle du général Caffarelli, le chef de file des savants et artistes. Blessé dans la tranchée d'une balle qui l'a atteint à

CI-DESSOUS :
IMAGE D'ÉPINAL
REPRÉSENTANT
BONAPARTE
TOUCHANT LES
PESTIFÉRÉS.
MUSÉE DE
MALMAISON ET DE
BOIS-PRÉAU.

PAGE DE DROITE :
BONAPARTE,
CAPITAINE
D'ARTILLERIE
À LA BATAILLE
DE TOULON.

l'articulation du coude, il est amputé du bras par Larrey : et voilà manchot celui que les Égyptiens avaient surnommé « le Père la Béquille ».

La dysenterie fait aussi des ravages dans le camp des assiégeants. Monge en réchappe, grâce aux soins dévoués dont l'entourent Desgenettes, Berthollet et Costaz. Mais Venture y succombe.

L'emploi qu'il laisse vacant auprès de l'état-major est dévolu à son élève, Amédée Jaubert, d'Aix-en-Provence, à qui est réservée une brillante carrière. Comme son maître, Jaubert a le goût des travaux savants. La traversée du désert lui inspire le sujet d'un mémoire qu'il mettra au point treize ans plus tard et qui sera inséré dans la *Description de l'Égypte :* c'est *la nomenclature des tribus d'Arabes qui campent entre l'Égypte et la Palestine depuis Khan-Ionnès et Ghazzah jusqu'à l'Oronte, et dans la partie septentrionale du désert qui sépare La Mecque de la Syrie.*

Le siège d'Acre levé, l'ordre de retraite donné, tout le monde, civils comme militaires, est tenu de faire route à pied jusqu'à Jaffa pour laisser l'usage des chevaux aux blessés et malades, nombreux à ramener. Qui plus est, l'état désespéré de quelques pestiférés pose, au départ d'Acre et à celui de Jaffa, un cas de conscience douloureux. Bonaparte insinue à Desgenettes de leur administrer une dose massive d'opium : Desgenettes lui réplique que son métier est de conserver, non de détruire. Plus docile et moins scrupuleux, un pharmacien militaire, qui renoncera ensuite à rentrer en France, se charge de la triste besogne. L'incident laisse, entre le général en chef et le médecin chef de l'armée, une mutuelle aigreur qui éclatera bientôt en pleine séance de l'Institut d'Égypte.

Rentrant au Caire à la mi-juin 1799, le détachement de savants et d'artistes qui avait pris part à la campagne de Syrie n'en rapporte pas moins une impression, dans l'ensemble, assez sombre : le prestige du « confrère » Bonaparte a momentanément un peu pâli à leurs yeux.

CI-DESSOUS:
MADAME VERDIER,
FEMME DU GÉNÉRAL,
VIENT AU SECOURS

D'UN GRENADIER.
PAR DESMAREST,
MUSÉE DES AUGUSTINS,
TOULOUSE.

PAGES SUIVANTES:
VUE DE PALMYRE,
1821. DESSINÉE
PAR L.F. CASSAS.

Les Pyramides de Gizeh.

LA HAUTE-ÉGYPTE

Tandis que Villemain, ce géomètre faisait de l'administration, Vivant-Denon poursuivait sa découverte artistique de la Haute-Égypte. Il y fut bientôt rejoint par un groupe d'ingénieurs, que Dugua avait fait partir du Caire le 29 ventôse an VII (19 mars 1799), en exécution d'un ordre laissé par Bonaparte. Car Bonaparte avait eu de bonne heure le désir d'être renseigné avec précision sur cette Haute-Égypte, où il ne devait jamais aller personnellement, mais dont il avait hâte de connaître les ressources. C'est à lui qu'appartient l'honneur d'en avoir ordonné l'exploration et l'inventaire. Ce soin fut confié à une commission, la première d'une série de trois qui opèreront entre le Caire et Assouan pendant l'expédition française.

Le mandat de cette Commission consistait à recueillir en Haute-Égypte tous les renseignements possibles sur l'agriculture, le commerce, les arts (c'est-à-dire les métiers), l'histoire naturelle, les antiquités, spécialement à étudier le régime du Nil depuis la première cataracte et le système d'irrigations propre à cette partie de la vallée. Partis avec un convoi de munitions qui les conduisit à Assiout, Girard et ses acolytes allaient passer sept mois à remonter le fleuve jusqu'à Philae et à le redescendre jusqu'au Caire, parcourant alternativement ses deux rives, où les troupes pourchassaient encore les Mamelouks, levant des profits, faisant des nivellements, examinant les productions agricoles et les procédés de culture, les canaux d'irrigation et les bassins d'inondation, observant les artisans au travail dans les échoppes et les bazars, s'informant de l'administration et de la fiscalité.

CI-DESSOUS:
VUE GÉNÉRALE DU SITE DE KARNAK PAR DAVID ROBERTS EN 1838.

PAGE DE DROITE:
LA COUR DU TEMPLE DE MEDINET HABOU.

Mais ce n'est rien de tout cela qui passionne le plus les benjamins de la bande, Jollois et Villiers du Terrage : ce sont les monuments antiques, les temples, les hypogées. A peine en ont-ils rencontré sur leur route, qu'ils se sont sentis attirés vers ces vestiges de l'art égyptien et de la civilisation pharaonique par une sorte de vocation irrésistible. « *C'était*, écrit l'un d'eux, *une véritable conquête que nous allions entreprendre au nom des arts. Nous allions enfin donner, pour la première fois, une idée exacte et complète de monuments, dont tant de voyageurs anciens et modernes n'avaient pu parler que d'une manière peu satisfaisante.* » Et les voici qui se mettent à explorer des tombeaux, à chercher des momies, à dresser les plans de temples et de palais, à copier bas-reliefs et hiéroglyphes.

Ils copient soigneusement, minutieusement à Dendera le fameux zodiaque, dont Denon n'avait eu le temps de prendre qu'un croquis. Ils mesurent, décrivent, dessinent le temple avec tant d'exactitude et de goût, que leur restauration de la grande salle à colonnes sera l'un des meilleurs travaux de la *Description de l'Égypte.* Dès cette étape de leur voyage, qui est encore loin de sa fin, ils sont à court de crayons. Sur quel ton de supplication Villiers du Terrage en implore de son camarade Ripault, resté au Caire ! « *Tous les nôtres sont usés, nous sommes au désespoir. Parlez à Conté, qui doit en avoir fait. Dans le cas*

contraire, empruntez à vos amis, achetez… » Puis c'est Louqsor, où ils ne font qu'une halte, juste assez pour être « *transportés d'admiration à la vue des ruines de Karnak* » ; Esna, où le portique du temple, seule partie visible de l'édifice alors enseveli sous le sol et les masures du village, les laisse d'abord interdits, luttant contre leurs « *préjugés en faveur des proportions et formes grecques* », jusqu'à ce que « *la beauté réelle de l'architecture* » emporte leur enthousiasme ; Edfou, dont le temple leur paraît « *un des plus beaux que l'Égypte possède* », dû à un architecte qui avait le « *sentiment de la régularité et de la symétrie* » ; Kôm Ombo, Syène (l'actuelle Assouan) enfin, avec Éléphantine et Philae, où ils font force plans et dessins

des temples dont la disposition irrégulière les a frappés, sans leur en faire méconnaître la grâce et la légèreté. Pendant ce temps Casteix grave, sous la porte du pylône du grand temple de Philae, la glorieuse inscription qui commémore l'arrivée des soldats français au terme extrême de leur campagne égyptienne, et qu'aujourd'hui ronge peu à peu l'eau emmagasinée dans le réservoir d'Assouan :

L'AN VI DE LA RÉPUBLIQUE, LE 13 MESSIDOR
UNE ARMÉE FRANÇAISE
COMMANDÉE PAR BONAPARTE
EST DESCENDUE À ALEXANDRIE.
L'ARMÉE AYANT MIS, VINGT JOURS APRÈS,
LES MAMELOUKS EN FUITE AUX PYRAMIDES,
DESAIX, COMMANDANT LA PREMIÈRE DIVISION,
LES A POURSUIVIS AU-DELÀ DES CATARACTES
OÙ IL EST ARRIVÉ
LE 13 VENTÔSE DE L'AN VII.
LES GÉNÉRAUX DE BRIGADE
DAVOUST, FRIANT ET BELLIARD,
DONZELOT, CHEF DE L'ÉTAT-MAJOR ;
LA TOURNERIE, COMMANDANT L'ARTILLERIE ;
EPPLER CHEF DE LA 21ᴱ BRIGADE,
LE 13 VENTÔSE AN VII DE LA RÉPUBLIQUE
3 MARS AN DE J.-C. 1799
GRAVÉ PAR CASTEIX SCULPTEUR.

Tout ce zèle archéologique n'a pas été du goût de Girard. Cet ingénieur, chef de la mission, se considérait chargé d'une enquête avant tout économique, dans laquelle les antiquités ne tenaient qu'une place tout à fait accessoire. Aussi leur a-t-il mis des bâtons dans les roues dès l'étape d'Esna, leur reprochant de « *faire des hiéroglyphes* » et, par là, de vagabonder hors de leurs attributions, de sortir de « *leur ressort* », de négliger leur besogne.

Malgré tout, Girard laisse ses autres subordonnés, Rozières, Duchanoy, Descotils et Dupuis, les aider dans leur tâche archéologique à Thèbes, où ils sont secondés aussi par certains de leurs camarades expédiés ultérieurement du Caire : le dessinateur Dutertre, l'agronome Nectoux, l'ingénieur-géographe Corabœuf et l'ingénieur Saint-Genis.

Le fait est que l'attention prêtée aux ruines n'a pas nui à l'activité économique de la commission Girard. Son chef rapporte de l'enquête, qu'il a prolongée de mars à octobre 1799, un remarquable *Mémoire sur l'agriculture et le commerce de la Haute-Égypte,* dont la lecture n'occupera pas moins de trois séances de l'Institut, en brumaire et frimaire an VII, et qui sera publié dans la *Décade égyptienne.* Il y expose la constitution physique de la Haute-Égypte, l'état de l'agriculture, du commerce et de l'industrie, le régime de la propriété, la perception des impôts, et en consacre toute la fin à un historique du trafic avec l'Inde par le Nil, le désert de Kosseir et la mer Rouge.

CI-DESSOUS:
ENVIRON DU CAIRE

Certains au moins des éléments de ce grand travail pourront aider à obtenir le résultat que s'était proposé Caffarelli, quand il avait chargé Girard de remonter le Nil jusqu'à la première cataracte : « *Rechercher les moyens d'augmenter l'influence de ce fleuve sur la fertilité de l'Égypte ; recueillir les matériaux nécessaires pour établir sur un plan général le système hydraulique de ce pays.* » Dans ces mots est déjà défini le but que s'assigneront, plus tard, les ingénieurs européens, français d'abord, anglais ensuite, à qui l'Égypte est redevable de son système actuel d'irrigation. Ce but, Bonaparte et ses collaborateurs l'ont clairement aperçu ; ils ont eu l'intuition des moyens de l'atteindre et se sont préoccupés d'en préparer

CI-DESSOUS:
PALMERAIE À
MEMPHIS

la réalisation. Des hommes comme Girard et Lepère ont compris et dit qu'une meilleure utilisation du Nil permettrait d'étendre beaucoup la superficie cultivable du pays. Napoléon enfin, revenant à Sainte-Hélène sur les rêves qui l'avaient hanté au Caire, posera le principe de l'emmagasinement des eaux de crue dans des réservoirs : « *Mille écluses maîtriseraient et distribueraient l'inondation sur toutes les parties du territoire ; les 8 ou 10 milliards de toises cubes d'eau qui se perdent chaque année dans la mer seraient réparties dans toutes les parties basses du désert.* » Aux emplacements près - fort différents dans l'imagination de Bonaparte de ce qu'ils furent ensuite dans la réalité, - c'est bien la conception des barrages-réservoirs ; et elle date du premier contact des Français avec la Haute-Égypte.

Dans l'intervalle, l'Institut d'Égypte, repeuplé par les rescapés de Syrie, avait repris au Caire le cours de ses séances. La première est tenue le 11 messidor an VII-29 juin 1799.

Les sciences les plus diverses continuent à se le partager avec la littérature, l'art et l'archéologie. Astronomie, avec Nouet, qui tantôt fait part de ses observations pour déterminer la position de villes d'Égypte, tantôt compare les différentes manières de mesurer et diviser le temps : styles Julien et Grégorien, ère républicaine, calendriers copte et musulman.

Mathématiques, algèbre, avec Fourier, qui donne à l'Institut la primeur d'un théorème nouveau ; géométrie avec Monge, qui définit « *les propriétés d'une surface courbe particulière* ». Physique, avec Costaz, qui explique le déplacement des montagnes de sable. Chimie, avec Berthollet, qui étudie « *l'action endiométrique des sulfures alcalins et du phosphore* », et avec Regnault, qui communique l'analyse d'eaux douces prélevées sur divers points. Botanique, avec Raffenau-Delisle, qui disserte sur des plantes décrites par Forskal et Linné. Zoologie, avec Geoffroy Saint-Hilaire, qui poursuit son répertoire des poissons du Nil. Génie civil, avec Andréossy, qui traite de l'exécution des canaux en terrains irréguliers, avec Le Père et Gratien Le Père, qui rendent compte de différentes missions. Peinture, avec Redouté, qui copie les poissons de son camarade Geoffroy. Archéologie, avec Balzac, qui décrit les ruines du grand cirque ou hippodrome d'Alexandrie.

LA PIERRE DE ROSETTE

Mais dans les sommaires de ces séances d'été, la palme appartient à l'archéologie, grâce à une découverte dont les conséquences seront incalculables. Le 1ᵉʳ thermidor an VII, lecture est donnée à la savante compagnie « *d'une lettre par laquelle le citoyen Lancret, membre de l'Institut, informe que le citoyen Bouchard, officier du génie, a découvert dans la ville de Rosette des inscriptions dont l'examen peut offrir beaucoup*

À DROITE:
CARTOUCHE DE LA
REINE NÉFERTARI
MÉRENMOUT.

CI-DESSOUS:
LA PIERRE DE
ROSETTE.

d'intérêt. » La pierre noire qui porte ces inscriptions est divisée en trois bandes horizontales : « *la première inférieure contient plusieurs lignes de caractères grecs, qui ont été gravés sous le règne de Ptolémée Philopater ; la seconde inscription est écrite en caractères inconnus ; et la troisième ne contient que des hiéroglyphes.* » Cette pierre noire, dont la découverte par le capitaine Bouchard est ici annoncée par Lancret à ses confrères, c'est celle qui a pris dans l'histoire le nom de « pierre de

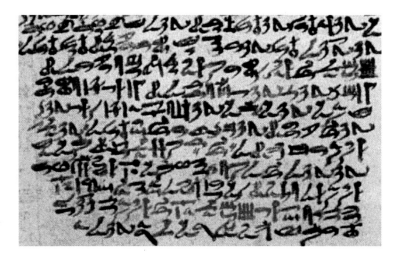

141

Rosette » et qui fournira à Champollion la clef du déchiffrement des hiéroglyphes. Elle constituera la pièce la plus précieuse de la collection formée par la Commission des sciences et des arts, jusqu'au jour où les Anglais, vainqueurs des troupes françaises, se la feront livrer pour la faire entrer au British Museum. De prime abord, l'intérêt en est jugé exceptionnel et les philologues de l'Institut du Caire pressentent le parti à tirer d'une inscription en trois écritures, dont une aussi connue que le grec, pour faire livrer leur secret aux deux autres, notamment aux caractères hiéroglyphes. L'orientaliste Marcel en commence l'étude et identifie la seconde écriture, d'abord donnée pour syriaque ou copte, avec les « *caractères cursifs de l'ancienne langue égyptienne* », autrement dit avec ce que l'on a appelé depuis le démotique. Il relève, dans les lignes en caractères grecs, des mots qui n'appartiennent pas à la langue hellénique, mais bien à l'égyptienne, et il consigne ces premières constatations dans une note de la *Décade*. Constatations encore bien sommaires et modestes sans doute : elles n'en inaugurent pas moins un effort d'interprétation que poursuivront après lui d'autres savants et qui aboutira, avec Champollion, à la reconstitution de l'alphabet égyptien, par suite à la lecture des hiéroglyphes.

CI-CONTRE:
L'ARC DE TRIOMPHE
DU CARROUSEL,
ÉLEVÉ EN 1808
PAR PERCIER ET
FONTAINE.

Le court paragraphe du compte rendu de l'Institut, annonçant la découverte de la pierre de Rosette, dresse en quelque sorte l'acte de naissance de l'égyptologie.

L'égyptologie est fille de l'expédition française. Maspero disait d'elle qu'elle avait ses papiers de famille dans la campagne de Bonaparte. Elle est née du contact pris avec le patrimoine monumental et épigraphique de l'Égypte par les savants et artistes à la suite de l'armée. Son premier berceau fut ce palais de Quassim Bey, qui abritait l'Institut, la commission, leurs archives, leurs collections, et la promesse de son magnifique développement était contenue dans l'énigmatique stèle trouvée par Bouchard, signalée par Lancret, interrogée par Marcel.

Les commissions Costaz et Fourier ne quittèrent le Caire que le 20 août, moins de quarante-huit heures après que Bonaparte en était parti. Mais leur institution et leur désignation lui appartiennent en propre ; or il ne fut pas pris, de toute la campagne, une mesure plus efficace pour la révélation de l'Égypte antique, que la décision et la mise en train de cette grande enquête sur les monuments de la région où se font admirer les plus nombreux et les plus beaux.

CI-CONTRE:
VUE DU MUSÉE
NAPOLÉON,
AU LOUVRE.

TABLE DES MATIÈRES

Compogravure : Minerve Compogravure - Châtel-Censoir.
Impression, brochage : P.P.O. - Pantin.